ADIVINHAS

MÚSICAS

Ciranda Cultural

MÚSICAS

1. Qual móvel da casa vive afirmando ser uma nota musical?
2. Se o tatu fosse músico, por que ele não se daria bem com uma banda?
3. Que parte do ouvido é o melhor instrutor musical?
4. Qual é a música preferida dos que gostam de moleza?
5. O que existe tanto em nosso corpo como em algumas igrejas?
6. Por que o dó é a nota mais temida na música?
7. **Qual o instrumento preferido do elefante?**

Respostas: 1. O "sou-fá" (= sofá); 2. Porque ele prefere solo; 3. O tímpano; 4. "Deixa a vida me levar..."; 5. Órgão; 6. Porque muitos cantores não têm dó da plateia; 7. O trombone.

MÚSICAS

8. O que tem muitos movimentos, pode correr, pode ser lento, mas não sai do lugar?

9. **O que o maestro disse ao seu músico que estava sempre atrasado?**

10. Que trilha ajuda o músico a viver de cinema?

11. Quais as notas musicais mais quentes?

12. Como se acorda um músico?

13. Quando o leite é música?

Respostas: 8. Um concerto de música clássica; 9. "Você precisa entrar no tempo!"; 10. A trilha sonora; 11. O fá e o lá: é que elas ficam perto do sol; 12. Com "acorde"; 13. Quando é só nata (= sonata).

MÚSICAS

14. O que vai de um canto para outro sem ser visto, mas tem presença marcante?

15. **Por que a menina subia na escada durante a aula de canto?**

16. Qual a nota musical que não é grande nem pequena, mas cura?

17. Por que o galo fecha os olhos quando canta?

18. Qual a música que o monge mais gosta de ouvir?

19. Qual o tom musical mais penoso?

20. Qual o hit dos cangurus?

Respostas: 14. O som; 15. Ela queria alcançar a nota mais alta; 16. Ré médio; 17. Porque sabe a música de cor; 18. A silenciosa; 19. O dó; 20. "Vamo pulá, vamo pulá, vamo pulá, vamo pulááá!"

MÚSICAS

21. Por que o músico não conseguiu encontrar seu caminho?

22. Qual a banda favorita dos fotógrafos?

23. Qual animal mais gosta de cantar em grupo?

24. **Quais notas musicais podem formar uma conversa?**

25. Qual fruta quer ser um instrumento musical?

26. Por que o esqueleto não pode tocar na igreja?

27. Qual o som do silêncio?

Respostas: 21. Porque ele sempre se perdia nas notas; 22. Revelação; 23. A cobra-coral; 24. Fá, lá; 25. A gra-viola; 26. Porque não tem órgãos; 27. "Shhh!".

MÚSICAS

28. Qual é o superpoder do saxofonista?

29. Por que menino encostou a cabeça no piano para tocar?

30. Qual é o militar que só frequenta espetáculos artísticos ou musicais se eles forem gratuitos?

31. Quais são as notas musicais mais confortáveis?

32. O que são as ostras que fundaram um conjunto de música?

33. Qual o nome do conjunto fundado pelas ostras??

34. Qual a banda que mais inspira as ostras?

Respostas: 28. Deixar qualquer lugar „saxofonável"; 29. Ele queria tocar de ouvido; 30. O „showdado"; 31. So e fá (=Sofá); 32. Ostromentistas; 33. Ostraje a Rigor; 34. Pearl Jam.

35. Qual a nota preferida dos automóveis?

36. Por que aquele músico nunca aparecia para o público, embora sempre se apresentasse com o seu conjunto?

37. **Qual o estilo musical que se compõe somente com duas notas?**

38. Quais são as notas que não circulam no comércio?

39. Quando o homem assemelha-se ao mar?

40. Por que a música foi para a papelaria?

Respostas: 35. A nota ré; 36. Porque ele tocava baixo; 37. Fado (com fá e dó); 38. As notas musicais; 39. Quando ele reproduz ondas sonoras; 40. Porque ela queria um clipe.

MÚSICAS

41. Qual o estilo musical favorito do Papai Noel?

42. Qual o estilo musical favorito dos temperos?

43. **Que tipo de música os mineradores gostam de ouvir?**

44. Que instrumento musical lembra dinheiro?

45. Qual o pote que toca música?

46. Qual a semelhança entre o carro, o celular, a banda de rock e a escola de samba?

47. Qual é o hit do cogumelo?

41. É o Rock'n HoHoHo; 42. Salsa; 43. "Que país é esse?"; 44. Lira (= Libra); 45. O S-pote-fy (= Spotify); 46. A bateria; 47. "We are the champions".

48. Qual é o hit da pata falando com o patinho?

49. Qual a dança preferida entre os criminosos?

50. O que o sambista foi fazer no banco?

51. Qual o estilo musical favorito das plantas?

52. O que o Exaltasamba foi fazer na biblioteca?

53. **Qual é a música preferida do surfista?**

Respostas: 48. "Só no sa-patinho, ô, ô..."; 49. A quadrilha; 50. Movimentar a poupança; 51. O samba de raiz; 52."Lê lê lê lê"; 53. "Como uma onda no mar. . .".

MÚSICAS

54. Qual é o hit do andarilho?

55. Qual é a música que vem da Bahia e é composta por minerais?

56. Quem vive com a corda no pescoço?

57. Qual é o hit que o cheio de razão canta para o teimoso?

58. O que tem oito pés e canta?

59. **Qual a música favorita dos banqueiros?**

60. Qual é o hit da pipoca?

Respostas: 54. "Você não sabe o quanto caminhei pra chegar até aqui..."; 55. Arrocha; 56. O violão; 57. "Eu quis dizer, você não quis escutar. . ."; 58. Um quarteto. 59. "Din, din, din"; 60. "Vamo pulá, vamo pulá, vamo pulá, vamo pulá, vamo pulááá!"

61. Qual o nome do grupo musical que comeu muita beterraba?

62. O que os campistas que gostam de música fazem no feriado?

63. Qual a música de Tom Jobim que elogia a passadeira?

64. Qual é a cor mais barulhenta?

65. Qual é o hit do cachorro rebelde?

66. Quem é o cantor que gosta de fazer doces?

67. **Qual é o hit da múmia?**

Respostas: 61. Barrão Vermelho; 62. Uma trilha sonora; 63. "Garota de Ipanema": "É a coisa mais linda que eu já vi passar. . ."; 64. A "cor-neta"; 65. "Eu não sou cachorro, não..."; 66. O Zeca baleiro; 67. "É, faraó! É, faraó!".

MÚSICAS

68. Qual é o hit do cartão de crédito?

69. Qual é o instrumento que nos acorda?

70. Quais são as duas letras que tocam várias músicas?

71. Qual é a nota musical que vive no meio do palácio?

72. Por que três eletricistas queriam tanto passar as festas na Bahia?

73. **Por que uma pessoa demorou dez anos para compor uma música de ninar?**

Respostas: 68. "aVISA lá, aVISA lá, aVISA lá oh oh!! aVISA lá que eu vou."; 69. OACORDE-on; 70. CD; 71. Lá, em "paLÁcio"; 72. Para verem o trio elétrico; 73. Porque sempre que ela cantava, dormia.

MÚSICAS

74. Um pontinho verde no calendário. Qual o nome da banda?

75. O que tem no carro e na música?

76. Quais são as cordas que a gente não consegue segurar?

77. Qual o instrumento favorito do Batman?

78. Qual é o instrumento que não pode ser visto, não pode ser tocado, mas pode ser ouvido?

79. **O que é um cachorro afinado, que entende de música?**

80. Qual o nome da cantora que adora rir?

Respostas: 74. Green Day; 75. Ré; 76. Cordas vocais; 77. A bateria ; 78. A voz; 79. Um cão-tor; 80. Ri-hanna.

MÚSICAS

81. Qual o grupo de pagode que as ostras mais gostam?

82. Qual o hit da insalubridade?

83. **Qual é o ritmo preferido do boi?**

84. Qual é a cantora que todo mundo respeita?

85. Qual ritmo é encontrado no hortifrúti?

86. Qual é o hit do apagão?

Respostas: 81. OSTRAvessos; 82. "Permaneço sem amor, sem luz, sem ar."; 83. O "boi-lero". 84. Lei de Gaga (= Lady Gaga); 85. A salsa; 86. "Ando meio desligado...".

87. **Por que é que ninguém gostava do maestro?**

88. Qual grupo de pagode não gosta de mistério?

89. Qual o instrumento que dá gritos?

90. Qual o instrumento que está sempre ligado?

91. Qual é o hit da garota revoltada?

92. O que tem a boca na barriga e os dentes na cabeça?

93. Qual é o hit do cardíaco?

Respostas: 87. Porque ele vivia cheio de "si"; 88. Revelação; 89. A "gritarra"; 90. O acorde-ON; 91. "Eu sou rebelde porque o mundo quis assim..."; 92. O violão; 93. "Alguma coisa acontece no meu coração..."

MÚSICAS

94. Qual o cantor favorito do vovô?

95. Qual a semelhança entre arrumar a casa e o samba?

96. **Qual é o cantor que sempre se despede?**

97. Qual o bar favorito dos cantores?

98. Qual o MC que mais gosta de comida?

99. Qual cantora gosta muito de chá?

100. Qual o cantor que não é meu?

Respostas: 94. Netinho; 95. Em ambos, mexemos as cadeiras; 96. O Michel "Té-logo"; 97. O BARítono; 98. O McDonald's; 99. A Chá-Kira; 100. O Seu Jorge.